Fabian Lenk

Im Labyrinth der Finsternis

Mit Bildern von Timo Grubing

Mildenberger Verlag

Ravensburger

Bibliografische Information der Deutschen Nationalbibliothek:

Die Deutsche Nationalbibliothek verzeichnet diese Publikation
in der Deutschen Nationalbibliografie.
Detaillierte bibliografische Daten sind im Internet
über http://dnb.d-nb.de abrufbar.

2 3 4 5 6 E D C B A

Ravensburger Leserabe
© 2014 für die Originalausgabe
Ravensburger Verlag GmbH

© 2015 für die Ausgabe mit farbigem Silbentrenner
Mildenberger Verlag GmbH, Postfach 2020, 77610 Offenburg
und Ravensburger Verlag GmbH, Postfach 24 60, 88194 Ravensburg
Umschlagbild: Timo Grunbing
Konzeption Leserätsel: Dr. Brigitta Redding-Korn
Design Leserätsel: Sabine Reddig

Printed in Germany
ISBN 978-3-619-14480-8
(für die Ausgabe im Mildenberger Verlag)
ISBN 978-3-473-38565-2
(für die Ausgabe im Ravensburger Verlag)

www.mildenberger-verlag.de
www.ravensburger.de
www.leserabe.de

Inhalt

Am Krater

Das Knurren wird lauter. Jetzt ist ein
Hecheln zu hören. Wieder ein böses
Knurren. Die Wölfe! Sie müssen ganz nah
sein!

Unruhig wälzt sich Phil auf seiner Matte
hin und her. Der Neunjährige muss hier
weg, und zwar schnell!

Jetzt stupst ihn etwas an – ein Wolf mit
gefletschten Zähnen?

Phil schreckt hoch, einen Schrei auf den
Lippen.

Vor ihm kauert kein Wolf. Auch kein Hund.
Es ist sein zwei Jahre älterer Bruder
Jason, der sich kaputtlacht.
„Wow, dein Gesicht müsstest du sehen!",
prustet er.
„Du Blödmann!", faucht Phil. Jason kann
hervorragend Geräusche und Stimmen
nachahmen. Nicht zum ersten Mal ist Phil
darauf reingefallen.
„Ich habe so schön geschlafen!",
beschwert er sich und schleudert sein
Kissen auf den Bruder.
Blitzschnell fängt Jason es auf.
„Kissenschlacht? Kannst du haben!"
Schon ist in dem kleinen Zelt eine wilde
Balgerei im Gange.
Da wird der Reißverschluss des Zeltes
hochgezogen. „Was ist denn hier los?",
ruft ihr Vater Ted Denver lachend. Als
Antwort bekommt auch er ein Kissen ab.

„Aufhören!", ruft Ted immer noch lachend.
„Es ist Zeit fürs Frühstück!"
„Ich habe gewonnen", stellt Phil klar und
krabbelt aus dem Zelt.
Draußen ist es bereits drückend schwül.
Mücken tanzen auf der Lichtung im
Dschungel. Die Denvers befinden sich in
Vietnam, in einem Nationalpark namens
Phong Nha-Ke Bang. Hier liegt das größte
Höhlensystem Asiens: ein Labyrinth aus
Gängen, unterirdischen Flüssen und
Höhlen. Eine geheimnisvolle Welt, die
noch niemand betreten hat.
Das will Ted Denver ändern.

Schließlich ist er ein berühmter
Speläologe, ein Höhlenforscher, der
schon überall auf der Welt in unbekannte
Tiefen vorgedrungen ist. Er arbeitet im
Auftrag einer großen Universität.
Diesmal hat er seine Kinder
mitgenommen. Reisen bildet,
sagt Ted immer. Phil und Jason brennen
darauf, die Höhlen zu entdecken.
Gestern Nachmittag haben sie ihr kleines
Camp ganz in der Nähe des Labyrinths
aufgeschlagen. Heute soll der gefährliche
Abstieg erfolgen.

Am Lagerfeuer sitzt bereits Robin. Der Engländer lebt seit vielen Jahren in Vietnam, kennt sich im Nationalpark bestens aus und verdient sein Geld als Fremdenführer, als Guide. Ted hat ihn für diese Tour angestellt.

„Wollen Sie auch einen Kaffee, Ted?", fragt Robin freundlich.

Der Höhlenforscher nickt.

Sie scharen sich ums Feuer. Für Jason und Phil gibt es Orangensaft. Aus einer Kühlbox zaubert Robin Sandwiches und verteilt sie.

„Wann geht's denn endlich los?", fragt Phil.

„Wir müssen erst die Ausrüstung genau prüfen. Klettergurte, Karabiner, Seile, Anker, Helme, Stirnlampen, Batterien, Wasser, Proviant und natürlich die Kameras!", erklärt sein Vater.

„Und das Funkgerät", ergänzt Robin.
„Das ist der letzte Draht zu unserer Welt."
Endlich ist es so weit. Angeführt von
Robin verlassen sie die kleine Lichtung.
Alle tragen Rucksäcke.
Sie marschieren über einen schlammigen
Trampelpfad, bahnen sich den Weg durch
meterhohe Farne und Bambus. Immer
wieder muss Robin die
Machete einsetzen.

„Stopp", sagt er unvermittelt.

Phil drängt sich nach vorn und steht nun neben Robin.

„Oh, mein Gott", entfährt es ihm. Vor ihm gähnt ein gewaltiger Krater mit einem Durchmesser von etwa hundert Metern! Ein leichter Schwindel überkommt den Jungen. Sein Puls beginnt zu hämmern. Denn der Krater ist nicht nur groß, er ist auch sehr tief …

„Irre, wie das da runter geht!", stammelt er.

„Ja", sagt Robin. „Das sind mindestens
vierzig Meter!"
Phil schluckt. „Vierzig Meter …",
wiederholt er tonlos.
Unten wächst dichter Dschungel. Ein
Fluss ist zu sehen. Er windet sich
zwischen Baumstämmen, mit Moos
bewachsenen Felsen und Geröll hindurch
und verschwindet in einem düsteren
Stollen. Ein Turm aus Gestein, auf dem
Palmen wachsen, schraubt sich in
Richtung Kraterrand. Von oben hängen

dicke Ranken herunter. Jetzt bahnen sich Sonnenstrahlen den Weg durch die Wolken und fallen in das gigantische Loch. Kreischende Vögel gleiten durch die Lichtsäule.

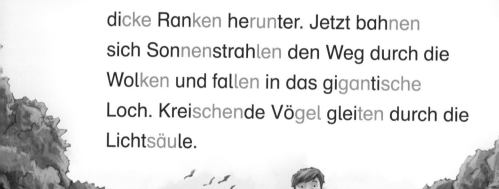

Ted zieht seine Jungs ein Stück von der Kante weg. Dann zückt der Forscher die Kamera und schießt ein paar Bilder. „Wollen Sie da wirklich runter?", fragt Robin.
„Klar, deswegen sind wir hier", erwidert Ted.

„Bisher habe ich Leute immer nur bis
zum Krater geführt, niemals weiter. In die
Höhlen hat sich noch niemand getraut",
sagt Robin.
Ted grinst. „Also wird es Zeit! Wir werden
sensationelle Bilder mitbringen. Fotos,
die die Welt noch nicht gesehen hat!
Schließlich war noch nie jemand vor uns
da unten!"
„Genau!", freut sich Phil. Die Angst ist
einer starken Neugier gewichen. Sie
werden diese Höhlen erforschen – und er
wird dabei sein! Seine Freunde werden
staunen!
„Okay, aber ich habe Sie gewarnt", meint
Robin jetzt zu Ted. Dann bohrt er ein paar
Löcher in einen Felsbrocken am Rand und
befestigt dort einige der Anker.
Eine halbe Stunde später geht es los.
„Ich klettere als Erster runter und

befestige das Seil am Boden der Höhle!",
kündigt Ted an. Ernst schaut er Phil und
Jason an. „Ihr kommt dann nach und
werdet dabei von Robin gesichert."
„So machen wir es", ergänzt Robin.
„Ich komme zum Schluss."

Mit klopfendem Herzen schauen die
Jungs zu, wie ihr Vater das Klettergeschirr
anlegt und sich abseilt. Ted ist ein
erfahrener Kletterer.
Kurz darauf ist der Höhlenforscher
unten angekommen. „Alles okay, Seil
gesichert!", brüllt er nach oben und lacht.
„Der Nächste bitte!"
Jason hat das Geschirr schon angelegt.

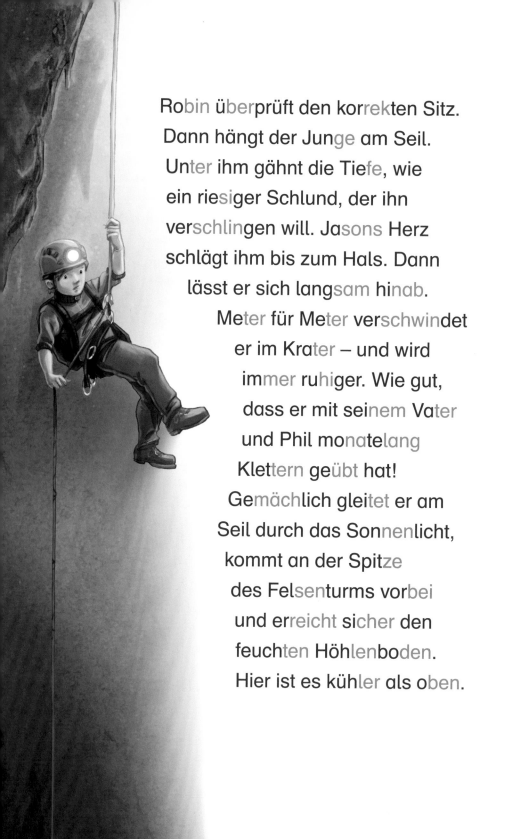

Robin überprüft den korrekten Sitz.
Dann hängt der Junge am Seil.
Unter ihm gähnt die Tiefe, wie
ein riesiger Schlund, der ihn
verschlingen will. Jasons Herz
schlägt ihm bis zum Hals. Dann
lässt er sich langsam hinab.
Meter für Meter verschwindet
er im Krater – und wird
immer ruhiger. Wie gut,
dass er mit seinem Vater
und Phil monatelang
Klettern geübt hat!
Gemächlich gleitet er am
Seil durch das Sonnenlicht,
kommt an der Spitze
des Felsenturms vorbei
und erreicht sicher den
feuchten Höhlenboden.
Hier ist es kühler als oben.

Üppiger Dschungel, wohin das Auge reicht. Der Fluss plätschert. Vorn, vielleicht fünfzig Meter entfernt, klafft der düstere Höhleneingang …

Auch Phil und schließlich Robin gelangen ohne Probleme zum Fuß des Kraters. Unten klatschen sich alle ab.

„Das wäre ja schon mal geschafft!", freut sich Phil.

„Ja, und das Seil lassen wir hier", sagt Ted. „Für den Rückweg. Und jetzt kommt!"

Dann brechen sie auf. Jeder trägt einen Rucksack, in dem ein Seil, Proviant, Batterien und Wasser verstaut sind.

Ted geht voran. Er marschiert am Fluss entlang zum Eingang des Stollens. Die anderen folgen ihm, zum Schluss Phil. Plötzlich stutzt er. Der Junge hat etwas entdeckt, das hier nicht hingehört …

Ein verdächtiges Geräusch

„Seht mal, ein Karabiner!", ruft Phil
aufgeregt. Der silbern glänzende Haken
liegt gleich neben der steinernen Pforte
zum Stollen.

„Das ... das gibt es doch gar nicht!",
stammelt Ted, als er sich über Phils Fund
beugt. „Ich dachte, wir wären die Ersten
hier unten!"

„Das sind wir auch", beruhigt Robin ihn.
Er deutet an der senkrechten Felswand
nach oben. „Den Haken hat bestimmt
jemand verloren, als er am Krater entlang
turnte."

„Meinen Sie?", fragt der Höhlenforscher.

„Ja", erwidert Robin. „Ich arbeite schon
so lange in der Gegend und ich bekomme
alles mit, was hier passiert. Bedenken
Sie, dass wir uns in einem Nationalpark

befinden. Da kann man nicht so einfach reinmarschieren und in die Höhlen absteigen."

Ted atmet hörbar aus. „Okay", sagt er. „Dann weiter!"

Die Männer gehen zum Höhleneingang. Doch die beiden Jungs können sich nicht so schnell losreißen.

„Guck mal, an dem Karabiner ist
überhaupt kein Rost", wispert Phil. „Das
Ding liegt bestimmt noch nicht lange hier."
„Ja, aber was heißt das schon?", erwidert
Jason.
„Vielleicht war ja doch jemand vor uns
da", murmelt Phil. „Und zwar erst vor
Kurzem!"
Jason schüttelt den Kopf. „Das kann
ich mir nicht vorstellen. Wenn das
stimmen würde, dann hätte es bestimmt
irgendwelche Berichte darüber gegeben.
Oder Fotos. Unser Dad hätte davon
gehört – garantiert! Und jetzt komm!"

Als sie in das Dunkel des Stollens eintauchen, machen sie die Stirnlampen an. Dann dringt das Team in die dunkle Welt des Labyrinths ein.

Begeistert, aber auch mit leichter Furcht, schaut sich Jason um. Nur allmählich gewöhnen sich seine Augen an die schlechten Lichtverhältnisse. Der Junge sieht Geröll, haushohe Steine, Moose und die Schatten der anderen aus dem Team. Immer wieder muss Jason aufpassen, nicht zu stolpern.

Sie bewegen sich am Fluss entlang, der sich seinen Weg durch die Finsternis bahnt. Der Stollen ist sehr breit und vermutlich auch ziemlich hoch, schätzt der Junge, als er den Kopf nach hinten legt und sich der Strahl seiner Leuchte im Dunkeln verliert.

Plötzlich fällt Jason etwas in den Nacken

und er zuckt zusammen. Doch es war nur
ein Wassertropfen, stellt er erleichtert
fest.

Der Junge stapft vorwärts. Manchmal
ist der Boden schlammig, dann wieder
sandig. An anderen Stellen liegen
Kieselsteine.

Wieder spürt Jason etwas im Nacken.
Doch diesmal ist es kein Wassertropfen,
denn es ist nicht feucht – es ist ... ein
Insekt, das an seiner Wirbelsäule
hinunterkrabbelt!

Panisch reißt sich der Junge das Hemd
vom Körper und schüttelt es aus.

„Was ist denn das?", lacht Phil. „Ein neuer
Tanz?"

„Sehr witzig, Kleiner!", grollt sein Bruder,
während er beobachtet, wie ein kleines
Wesen auf acht flinken Beinen aus
seinem Hemd auf den Boden und dann
hinter einen Stein wuselt.

„Alles klar bei euch?",
hören sie ihren Vater rufen.
„Bei mir schon!", lacht Phil.
Grummelnd folgt Jason
ihm und den
anderen.

Kurz darauf sieht Jason einen geister-
haften Schimmer vor sich aufglimmen, der
seine Umgebung in ein schwaches Licht
taucht. Im Halbdunkel erkennt der Junge,
dass sie sich nun in einer gewaltigen
Höhle befinden. Aus einer Spalte im Dach
fällt Tageslicht.
„Was für eine zauberhafte Welt!", ruft
Jason begeistert. Stalagmiten in allen
möglichen Formen ragen vor ihm auf.
Einer sieht aus wie ein Drache, ein
anderer wie ein Tempel, der dritte
erinnert mit seinen vielen Armen an einen
Kerzenständer. Von der Decke hängen
Stalaktiten wie gigantische Eiszapfen.
Am Fluss, der sich durch die Höhle
schlängelt und viele Teiche gebildet hat,
drängen sich Farne und in einer Kuhle
liegen braune Kugeln, fast so groß wie
Tennisbälle.

„Das sind Höhlenperlen", erklärt Ted, während er zu fotografieren beginnt. „Früher waren das einmal winzige Sandkörner, auf die Wasser tropfte. Im Laufe von vielen tausend Jahren legten sich Kristalle um die Körnchen und ließen sie langsam, aber stetig wachsen. Ach, ist das hier herrlich – das werden einzigartige Fotos!"

Ted läuft mit seiner Kamera zu einem der Teiche und fotografiert weiter. Robin hat sich auf einen runden Stein gehockt und etwas Proviant aus dem Rucksack gezogen.

Die Brüder erkunden die Höhle auf eigene Faust.

„Ist das nicht irre?", meint Jason. „Mir kommt es so vor, als wären wir in einer urzeitlichen, längst vergessenen Welt…"
Phil schmunzelt. „Stimmt. Fehlt nur noch ein T-Rex, der hier plötzlich aufkreuzt!"
„Mir hat schon das Krabbeltier vorhin gereicht", erwidert Jason und muss sich schütteln.

In diesem Moment deutet sein Bruder nach links. „Guck mal, da vorn beginnt ein anderer Stollen! Und da noch einer. Das ist hier wohl wirklich ein richtiges Labyrinth." Schon läuft er zu einem der Eingänge.

Doch Jason hat keine Lust ihm zu folgen. Noch so ein düsterer Gang? Nein! Er findet die Stalagmiten viel interessanter und schaut sich diese näher an.

Plötzlich vernimmt er ein seltsames
Geräusch. Ein schrilles Summen, wie von
einem elektrischen Bohrer. Kam es aus
einem der Stollen? Jasons Haare
stehen zu Berge.

Jetzt stürzt Phil auf ihn zu. „Warst du
das?", fragt er misstrauisch. „Hast du
wieder deine Stimme verstellt und dir
einen kleinen Scherz erlaubt?"
Stumm schüttelt Jason den Kopf. Angst
greift nach ihm.
Sind sie doch nicht allein im Höhlen-
labyrinth?
Was lebt hier unten?

Die Lawine

Die Brüder eilen zu ihrem Vater, der
gerade neben Robin steht.

„Habt ihr das auch gehört?", will Jason
wissen.

„Natürlich", antwortet der Forscher
besorgt. „Schätze, das kam aus einem
der Stollen. Oder von dir, Jason ..."

„Nein!", versichert der Junge erneut.

„Das war nur der Wind", versucht Robin
die anderen zu beruhigen.

„Schwer zu glauben", erwidert Ted. „Ich
war weiß Gott schon in vielen Höhlen,
aber so etwas habe ich noch nie gehört.

Es klang nach einem … Bohrer!"

Robin lächelt. „Niemals. Hier ist niemand außer uns, glauben Sie es mir!"

Jason und Phil tauschen Blicke. Erst der Karabiner, dann dieses verdächtige Geräusch … Alles nur Zufall oder Einbildung? Was geht hier vor?

„Ich vermute, dass das Geräusch aus diesem Stollen dort kam", sagt Ted und zeigt auf ein schwarzes Loch in der Höhlenwand. „Ich will der Sache auf den Grund gehen!"

„Okay", sagt Robin. „Aber lassen Sie mich vorher die Lage peilen. Ich bin Ihr Guide und möchte nicht, dass Sie in Gefahr geraten."

Ted zuckt nur mit den Schultern und schaut zu, wie Robin in dem Gang verschwindet.

Nach nur fünf Minuten taucht der Guide wieder auf.

„Lieber nicht, das Gestein wirkt an einigen Stellen reichlich brüchig", meint Robin. „Ich habe Angst, dass wir verschüttet werden könnten."

Doch so einfach lässt sich Ted nicht entmutigen. Stattdessen macht er sich selbst ein Bild.

„Da muss ich Ihnen widersprechen, Robin", sagt er, als er zurückgekehrt ist. „Für mich sieht der Stollen absolut stabil aus. Ich werde dort nachsehen. Sie können mich gerne begleiten, Robin, aber Jason und Phil warten hier in der Höhle auf uns."

„Nö!", protestieren die beiden. Auch sie wollen der Sache auf den Grund gehen.

„Keine Widerrede", entscheidet ihr Vater. „Was ist mit Ihnen, Robin?"

„Okay, bin dabei. Ich kann Sie ja schlecht allein gehen lassen", erwidert der Guide.

„Wir sind bestimmt gleich wieder da!",
sagt Ted zu seinen Söhnen.
Schon sind die beiden Männer
verschwunden. Die Brüder bleiben
schmollend zurück.
„Wie ungerecht!", murrt Phil.

„Dass er einen Kleinen wie dich hierlässt,
kann ich ja noch verstehen", meint Jason.
„Aber mich hätte er ruhig mitnehmen
können!"
Das bringt ihm einen leichten Tritt vors
Schienbein ein.
„Aua!", beschwert sich Jason.
„Selbst schuld", entgegnet sein Bruder
und stapft los.
„He, was soll das?", fragt Jason.
Phil winkt ihm lässig zu. „Ich will nur mal
einen Blick in den Gang
werfen."

Zögernd folgt Jason dem Bruder. Schon
sind sie am Ziel und sehen – herzlich
wenig. Von Ted und Robin sind nur ein
paar Fußspuren zu erkennen, die sich in
der Finsternis verlieren.

„Sollen wir doch mal nachschauen?",
fragt Phil und blickt Jason von unten an.
„Na gut, schließlich ist es ungerecht, dass
die uns nicht mitgenommen haben!"
Vorsichtig dringen die Brüder in den
Stollen ein. Er ist viel niedriger als der,
der sie zur Höhle geführt hat.

Nach etwa zweihundert Metern weitet sich der Gang jedoch und sie gelangen in eine weitere Höhle. Auch hier dringt Licht durch einen Riss in der Decke. Es fällt auf einen großen Geröllberg. Ganz oben ist eine Spalte zu sehen, zu der Ted und Robin gerade klettern. Immer wieder rutschen Steine unter ihren Füßen weg und poltern den Abhang hinunter.

Wohin führt diese Öffnung?, fragt sich Phil und macht sich mit seinem Bruder ebenfalls daran, den Berg zu erklimmen. Prompt wird Ted auf die beiden aufmerksam. „Das darf ja wohl nicht wahr sein", schimpft er. „Ihr solltet doch in der Höhle bleiben!"

„Tschuldigung!", ruft Phil. „Aber das ist unser unstillbarer Forscherdrang."
„Genau", stimmt Jason ihm zu. „Den haben wir bestimmt von dir."
„Bleibt, wo ihr seid! Der Hang ist gefährlich. Ich komme zu euch!", ordnet Ted an.
Folgsam warten die Brüder. Während

Ted hinabklettert, steigt Robin noch höher hinauf und hat nun den Durchlass erreicht. Phil beobachtet, wie ihr Guide durch den Spalt schlüpft.

Dann weiten sich die Augen des Jungen vor Entsetzen. Ein großer Stein hat sich von seiner Spitze gelöst und donnert auf Ted zu. Er reißt andere kleine Steine mit sich – da rauscht eine regelrechte Lawine runter!

„Vorsicht!", gellt Phils Stimme.

Doch es ist zu spät. Ihr Vater verschwindet in einer Wolke aus Staub und Steinen! Dann erwischt die steinerne Welle auch die Brüder!

Ein Mann verschwindet

Jason und Phil rutschen mit den Steinen
zum Fuß der Höhle. Es folgt eine harte
Landung. Dann herrscht eine unheimliche
Stille.
Mühsam rappelt sich Jason auf. Das Licht
seiner Stirnlampe gleitet wie ein schmaler
weißer Finger durch den aufgewirbelten
Staub.
„Phil? Ted?", fragt er voller Panik.
„Hier!", hört er seinen Bruder rufen.
Dann wankt Phil heran. Er ist über und
über mit Schmutz bedeckt und sieht aus
wie ein Gespenst. Und hinter ihm ist –
Ted!
„Seid ihr okay?", erkundigt er sich
besorgt.

Die Jungs nicken.

„Puh, das ist ja gerade noch einmal gut gegangen!", sagt der Forscher erleichtert und hustet. „Vermutlich habe ich selbst die Lawine ausgelöst."

Er leuchtet nach oben zum Spalt, der jedoch im Staub, der wie Nebel in der Höhle hängt, nicht mehr zu sehen ist.

„Robin?", ruft Ted.

Nichts.

Wieder und wieder rufen die drei den Namen des Guides, doch er antwortet nicht.

„Hoffentlich ist ihm nichts zugestoßen", ächzt Ted. „Aber wir können nicht zum Spalt rauf, um nach ihm zu sehen. Das ist viel zu gefährlich. Denn wer weiß, ob wir dabei nicht eine weitere Lawine auslösen.

Ich werde
euch jetzt erst einmal
aus diesem Labyrinth
herausbringen. Dann seid
wenigstens ihr in Sicherheit.
Anschließend werde ich einen
Suchtrupp organisieren, um
Robin zu finden."
Sie verlassen den staubigen Ort
und eilen durch die verwunschene
Höhle zurück zum Krater.
Doch hier erleben sie eine böse
Überraschung. Das Seil ist weg!

„Aber … aber das ist doch unmöglich! Wie sollen wir hier je wieder rauskommen?", stammelt Jason. „Die Seile, die wir dabeihaben, sind doch viel zu kurz!"

„Ich frage mich allerdings, wer das Seil weggenommen hat", grummelt sein Vater. „Hier stimmt doch was nicht …"

„Das Funkgerät!", stößt Phil hervor. „Damit können wir Hilfe holen."

Doch Ted schüttelt den Kopf. „Nein. Das Gerät hat Robin! Also werden wir doch selbst nach ihm suchen. Wir müssen leider zurück zu diesem verfluchten Geröllberg!" Ein schwaches Lächeln huscht über sein Gesicht. „Vielleicht kommt uns Robin ja auch entgegen …"

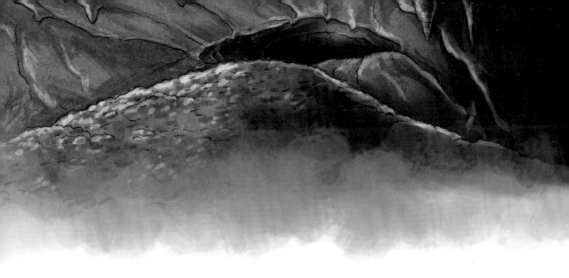

Kurz darauf sind sie wieder in der Höhle,
in der die Lawine abging. Alles liegt unter
einer grauen Staubschicht. Doch von
Robin fehlt jede Spur.
„Ich werde noch einmal versuchen, den
Hang zu erklimmen", kündigt Ted an.
„Dann zwänge ich mich durch den Spalt
und suche Robin. Vielleicht ist er ja
gestürzt und hat sich verletzt. Das würde
erklären, warum er nicht auftaucht. Aber
ihr bleibt hier, habt ihr mich diesmal
verstanden?"
Der Klang seiner Stimme lässt keinen
Protest zu.

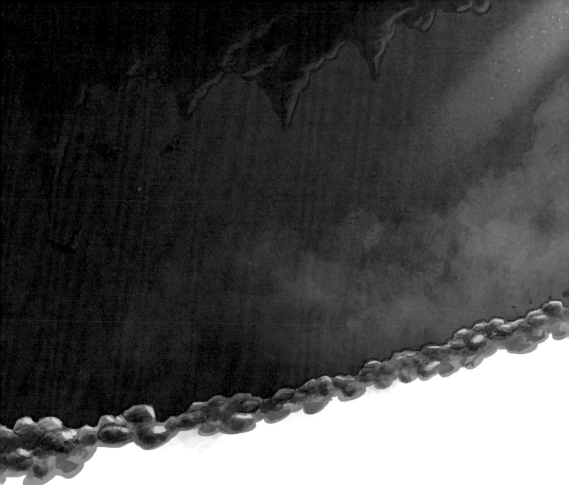

Ted macht sich an die Arbeit. Doch nach dem Abgang der Lawine liegen noch mehr lose Steine am Hang, und Ted rutscht immer wieder ab.

„So ein Mist, es ist sinnlos!", flucht der Forscher.

Da hat Phil eine Idee. „Lass mich mal!" Sein Vater starrt ihn ungläubig an.

„Niemals, viel zu riskant!"

„Bitte!
Überleg doch
mal, ich bin viel leichter
als du, bei mir geben die Steine
bestimmt nicht so schnell nach!"
Schließlich erteilt Ted seine Erlaubnis.
Wieselflink klettert der Junge hinauf. Und
tatsächlich, er findet auf dem rutschigen
Geröllberg viel besser Halt als Ted!
„Tja, manchmal ist es doch gut, wenn
man noch klein und leicht ist!", ruft er,
als er den Spalt erreicht hat. Der Junge
guckt hindurch.
„Hier beginnt ein weiterer Gang!", ruft er
den anderen zu. Aus seinem Rucksack
zieht er sein Seil und befestigt es an
einem großen Stein. Dann wirft er das
andere Ende seinem Bruder und Ted zu.

Nun gelingt es den beiden, sich den Hang hinaufzuziehen.

Gemeinsam dringen sie in den Stollen vor.

„Hoffentlich finden wir Robin bald und können …", hebt Phil an, doch Jason legt einen Finger auf seine Lippen.

„Psst!", macht er.

„Was ist denn?", wispert sein Bruder.

„Ich glaube, ich habe gerade Stimmen gehört", antwortet Jason.

Phil und Ted lauschen angestrengt.

„Du hast Recht", flüstert sein Vater. „Und es sind verschiedene Stimmen. Hier müssen mindestens zwei Typen sein!"

Eine gute Idee

Leise pirschen sie voran. Licht fällt in den
Stollen. Der Gang macht einen scharfen
Rechtsknick – und plötzlich befindet
sich das Trio in einem Gewölbe. Keine
zwanzig Meter entfernt stehen zwei
Männer im Licht einer Lampe.
Blitzschnell tauchen Phil, Jason und Ted
hinter einem Felsen ab. Jason späht aus
der Deckung hervor. Einer der Männer ist
Robin, der andere trägt einen Bart und hat
eine Pistole am Gürtel! Wieder ertönt das
schrille, summende Geräusch, das Jason

schon in der anderen Höhle bemerkt
hatte. Der Bärtige hat einen Bohrer in
Gang gesetzt und bearbeitet damit die
Höhlenwand.
„Wow, die Mine ist unglaublich ergiebig!",
jubelt der Mann, nachdem er das
Werkzeug abgesetzt hat.
„Allerdings, diese Rubine werden uns
reich machen!", sagt Robin zufrieden.
Jetzt gibt Ted den Jungs ein Zeichen,
dass sie sich zurückziehen sollen, und
zwar hinter den Knick des Stollens.

Als sie außer Hörweite sind, meint Ted:
„Ich fasse es nicht! Robin baut mit dem
anderen Kerl heimlich Rubine ab."
„Ja", meint Phil. „Die hatten wohl Angst,
dass wir ihnen dabei in die Quere
kommen könnten."

Sein Vater nickt. „Genau. Jetzt ist klar, warum Robin nicht wollte, dass wir diesen einen Gang betreten, der zur Höhle mit dem Geröllberg führt. Er wollte uns von Anfang an von den Edelsteinen fernhalten. Bestimmt war er es auch, der die Lawine ausgelöst hat. Das hätte ich nie von Robin gedacht! Vermutlich gibt es noch einen dritten Komplizen – der Typ, der das Seil am Krater gestohlen hat…"

„Und was machen wir jetzt?", fragt Phil.

„Wir brauchen das Funkgerät, um Hilfe zu holen. Aber der Kerl mit dem Bart hat eine Pistole!"

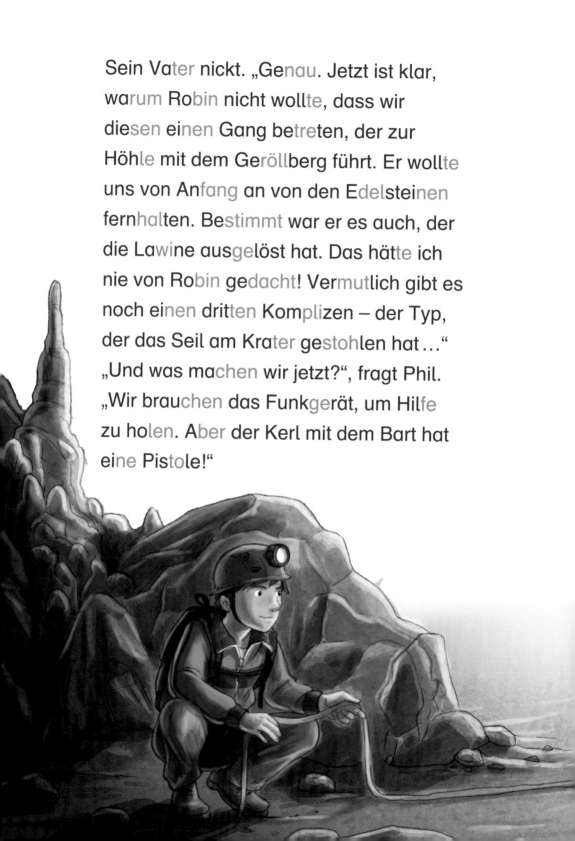

Sie überlegen hin und her. Da hat Jason plötzlich eine Idee! Leise weiht er die beiden anderen ein.

Phil grinst, als sein Bruder fertig ist. „Das klingt gut!"

Dann legen sie eines der Seile über den Boden. Phil und Jason schnappen sich je ein Ende und gehen hinter Steinen in Deckung. Sie kauern sich gegenüber und nicken sich zu – sie sind bereit, das Seil jederzeit zu spannen. Ted lauert direkt hinter Phil, die Fäuste geballt.

Jetzt beginnt Jason mit seiner Show. Er ahmt ein weinendes Baby nach. Im Gang hallt es wider.

„Verdammt, wo kommt das Geplärr her?",
ruft der Bärtige.
Schon biegt er um die Ecke. Jetzt
spannen die Jungs ruckartig das Seil und
bringen den Mann zu Fall. Sofort stürzt
sich Ted auf ihn und schickt ihn mit einem
gezielten Schlag ins Reich der Träume.
Mit einem zweiten Seil wird der Gangster
gefesselt.
Da dringt Robins Stimme
an ihre Ohren.

Der Guide sucht seinen Komplizen. „He,
Sam, wo bist du? Alles klar?", ruft er.
Phil wagt einen Blick um die Ecke. „Robin
kommt! Mach uns den Wolf!", bittet er
leise seinen Bruder.
Jason grinst. Dann winselt und heult er.
Es klingt, als würde gerade ein ganzes
Rudel wilder Tiere heranstürmen!
Schließlich stößt der Junge einen
furchtbaren Schrei aus.
„Oh, mein Gott!", kreischt Robin.
„Sam, warst du das?"

Die Antwort ist ein furchterregendes
Knurren.

Phil schaut erneut in den Stollen und
sieht, wie Robin kopflos flieht. „Die Luft ist
rein!", freut sich Phil.

Mit Vater und Bruder flitzt er zum Strahler,
der auf die Wand gerichtet ist. Neben
allerlei Werkzeug liegt hier auch ein
Rucksack.

Phil öffnet ihn – und zieht strahlend ein
Funkgerät hervor!

Damit laufen sie zurück zum Krater. Ted
alarmiert die Polizei und sorgt dafür, dass
man sie aus dem Labyrinth rettet.

Noch am selben Abend sitzen Phil, Jason und Ted in einem Hotel, das in einem vietnamesischen Dorf ganz in der Nähe des Nationalparks liegt. Immer wieder haben sie von ihren Erlebnissen berichten müssen – erst der Polizei, dann einigen Reportern. Inzwischen wurden die Täter festgenommen und ins Gefängnis gebracht. Gegen zehn Uhr bimmelt Teds Handy. Ein Polizist ist dran und berichtet vom Verhör.

„Wahnsinn", sagt Ted, nachdem das Gespräch beendet ist. „Der Polizist hat mir erzählt, dass Robin alles gestanden hat. Er wollte uns in den Höhlen zurücklassen, um mit den Rubinen fliehen zu können – durch einen zweiten Zugang, den nur er und sein Komplize kannten."

„Verstehe, deshalb konnten die Mistkerle auch das Seil im Krater entfernen. Das brauchten sie ja nicht", meint Jason düster.

„Aber wir benötigen morgen wieder eines. Denn wir werden erneut in das Labyrinth vorstoßen", kündigt Ted an. „Ich muss unbedingt noch viel mehr Fotos machen."

„Geritzt", erwidert Phil und gähnt. Er ist völlig erledigt. „Wann müssen wir denn aufstehen?"

„Gegen sechs Uhr", antwortet sein Vater.

„Sechs? Das ist ja mitten in der Nacht!",
beschwert sich der Junge. „Da werde ich
garantiert noch pennen!"
Jason klopft seinem Bruder auf die
Schulter. „Kein Problem, ich wecke dich."
Er beginnt zu hecheln. „Du weißt schon,
die kleine Wolfsnummer …"

Nationalpark
Schutzgebiet für seltene Tiere und Pflanzen

Speläologe
Höhlenforscher

Guide [sprich: Gaid]
Reiseführer

Sandwiches [sprich: Sändwitschis]
belegte Brote

Karabiner
Haken zum Klettern

Proviant
Essen für die Reise

Machete
großes Messer

Krater
riesiges Loch in der Erde

Stollen
unterirdischer Gang in einem Berg oder einer Höhle

Stalagmiten
Tropfsteine in einer Höhle, die nach oben wachsen

Stalaktiten
Tropfsteine in einer Höhle, die nach unten wachsen

Mine
Bergwerk

Rubine
rote Edelsteine

Komplize
Helfer bei einem Verbrechen

Leserabe Leserätsel

Checkliste

Die wichtigsten Fragen zur Geschichte:
Wer · Was · Wo · Wie · Warum

Wer ist verdächtig?

☐ Jason **B**

☐ Robin **K**

Was ist das Problem?

☐ In der Höhle ist ein Wolf.   **M**

☐ Die Forscher sind in der Höhle gefangen.   **A**

Wo ist es geschehen?

☐ In Vietnam in einem Nationalpark.   **T**

☐ In England in einem Tierpark.   **I**

Wie ist es passiert?

☐ Die Forscher haben ihr Funkgerät verloren.   **F**

☐ Das Seil ist gestohlen worden.   **E**

Warum ist das passiert?

☐ Robin will keine Mitwisser.   **R**

☐ Robin hat die Forscher vergessen.   **V**

LÖSUNGSWORT:

	R				

Alle Fragen richtig beantwortet?

Dann ist es Zeit für die Rabenpost.
Wenn du das Lösungswort herausgefunden hast,
kannst du tolle Preise gewinnen!

Gib es auf der Leserabe Website ein
▶ www.leserabe.de

oder mail es uns ▶ leserabe@ravensburger.de

Ravensburger Bücher

Leichter lesen lernen mit der Silbenmethode

Monstergeschichten
Cornelia Neudert · Betina Gotzen-Beek

ISBN 978-3-473-**38542**-3*
ISBN 978-3-619-**14353**-5**

Pimpinella Meerprinzessin und der Delfin
Usch Luhn · Betina Gotzen-Beek

ISBN 978-3-473-**38545**-4*
ISBN 978-3-619-**14352**-8**

Der mutigste Ritter der Welt
Katja Reider · Birgit Antoni

ISBN 978-3-473-**38546**-1*
ISBN 978-3-619-**14450**-1**

Nixengeschichten
Katja Reider · Betina Gotzen-Beek

ISBN 978-3-473-**38548**-5*
ISBN 978-3-619-**14451**-8**

Baumhausgeschichten
Martin Klein · Steffie Becker

ISBN 978-3-473-**38550**-8*
ISBN 978-3-619-**14452**-5**

Das Hexeninternat
Claudia Ondracek · Silke Voigt

ISBN 978-3-473-**38543**-0*
ISBN 978-3-619-**14354**-2**

Fußballgeschichten
Leopé

ISBN 978-3-473-**38544**-7*
ISBN 978-3-619-**14355**-9**

Kleiner Fuchs auf großer Jagd
Manfred Mai · Astrid Vohwinkel

ISBN 978-3-473-**38547**-8*
ISBN 978-3-619-**14456**-3**

Ein Bruder für Anna
Manfred Mai · Franziska Harvey

ISBN 978-3-473-**38549**-2*
ISBN 978-3-619-**14457**-0**

Mama hat heut' frei
Manfred Mai · Franziska Harvey

ISBN 978-3-473-**38551**-5*
ISBN 978-3-619-**14458**-7**

* **Broschierte Ausgabe**
bei Ravensburger

** **Gebundene Ausgabe**
bei Mildenberger

Mildenberger Verlag

ERZ_15_001